Mae Popi Yma

Pobl
Pentre Bach

Ifana Savill
Gary Evans

Gomer

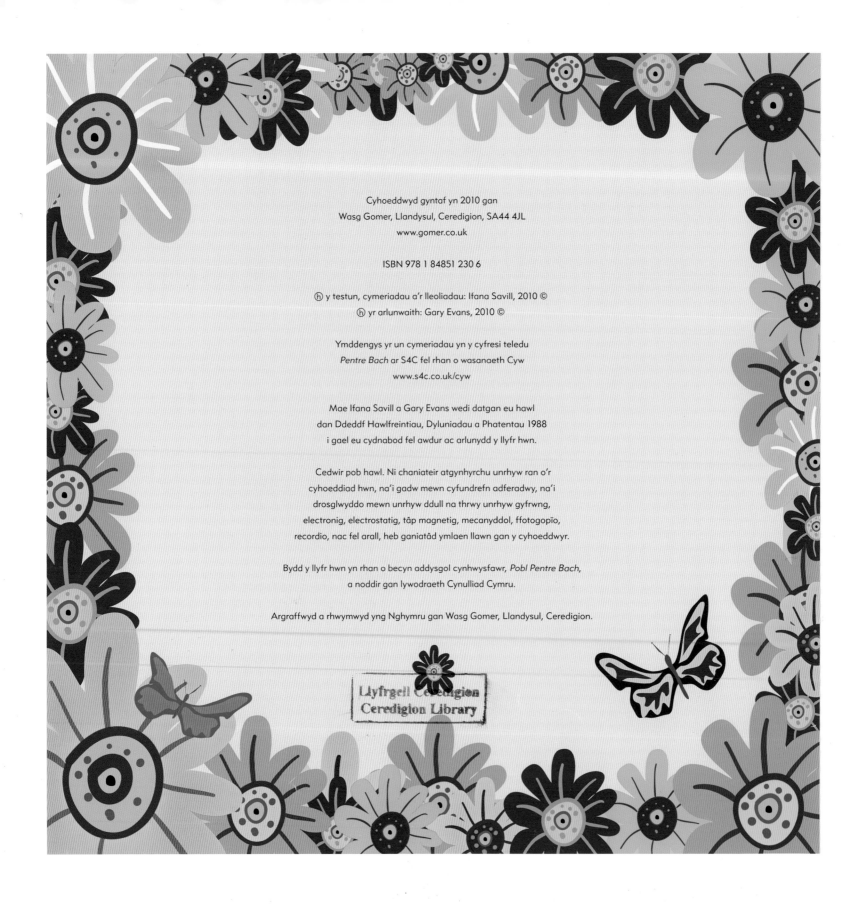

Cyhoeddwyd gyntaf yn 2010 gan
Wasg Gomer, Llandysul, Ceredigion, SA44 4JL
www.gomer.co.uk

ISBN 978 1 84851 230 6

Ymddengys yr un cymeriadau yn y cyfresi teledu
Pentre Bach ar S4C fel rhan o wasanaeth Cyw
www.s4c.co.uk/cyw

Bydd y llyfr hwn yn rhan o becyn addysgol cynhwysfawr, *Pobl Pentre Bach*,
a noddir gan lywodraeth Cynulliad Cymru.

Argraffwyd a rhwymwyd yng Nghymru gan Wasg Gomer, Llandysul, Ceredigion.

CROESO!
X X X

Mae heddiw yn ddiwrnod arbennig.
Mae Pili Pala'n aros am rywun pwysig.

CNOC! CNOC!

'Pili palas pert! Mae hi yma!' meddai Pili a rhedeg i agor y drws.

4

'Popi! Croeso i Westy Pili Pala,' meddai gan roi clamp o gusan ar foch ei chwaer fach.

'Croeso, Popi. Mae'n amser te,' meddai Palu yn wên i gyd.

'Brechdan ham arall?' gofynnodd Pili.
'Diolch,' meddai Popi gan ei bwyta'n syth.

'Ddim yn hoffi crystiau, Popi?' holodd Pili.
'Na,' meddai Popi, 'ond dw i'n dwlu ar
jeli wibl-di-wobl-di pinc.'

'A dw i'n dwlu ar dy wallt cyrliog di, Pili. Fe hoffwn i gael gwallt fel 'na.'

Y diwrnod wedyn fe aeth Pili, Palu
a Popi am bicnic i'r parc.

'Brechdan jam arall, Popi fach?' gofynnodd Pili.

'Diolch,' meddai Popi gan ei bwyta'n syth.

'Wyt ti'n hoffi cacennau siâp pili pala pinc?' gofynnodd Palu.

'Dw i'n dwlu ar gacennau siâp
pili pala pinc,' meddai Popi.
'Ond dw i'n dwlu mwy ar dy
wallt cyrliog di, Pili. Fe hoffwn i
gael gwallt fel 'na.'

'O'r gorau, Popi, dw i'n addo cyrlio dy wallt di. Fory amdani,' meddai Pili wrth iddyn nhw gerdded am adre. Roedd Popi wrth ei bodd.

Y diwrnod wedyn, dyma Pili'n dechrau cyrlio gwallt Popi . . .

14

. . . ond doedd dim yn tycio. Doedd gwallt Popi ddim am gyrlio.

'Beth am drio
cyrlars pigog 'te?'
meddai Pili.

Ond doedd dim yn tycio o gwbl!
Doedd gwallt Popi ddim am gyrlio.

'Mae syniad gwych 'da fi,' meddai
Bili Bom Bom.
  'Edrychwch beth dw i wedi ffeindio
yn fy rocedi.' A dyma fe'n tynnu
llond dwrn o glipiau arian allan.

'Mae hyn yn mynd i weithio yn bomdant!'

'O, na,' llefodd Popi wrth iddi edrych yn y drych.

'O diar,' meddai Pili.

'Amser te,' meddai Palu. 'Caffi Sali Mali amdani! Dewch.'

'Brechdan gaws arall, Popi fach?'
gofynnodd Sali.
    'Diolch, Sali Mali,' meddai Popi, 'ond
dw i wedi cael pump yn barod.'

'Wyt ti'n hoffi hufen iâ pinc, Popi?' gofynnodd Sali Mali.
'Dw i'n dwlu ar hufen iâ pinc. A dw i'n *dwlu* ar gyrls Pili,' llefodd Popi. 'O, pam na allai i gael gwallt fel Pili?'

'O, Popi fach, paid â chrio,' meddai Sali. 'Bwyta dy hufen iâ tra mod i'n clirio'r byrddau.'

'O diar, plât pwy yw hwn?'
gofynnodd Sali.
'Fy mhlât i,' meddai Popi.
'Ces i lot o frechdanau!'

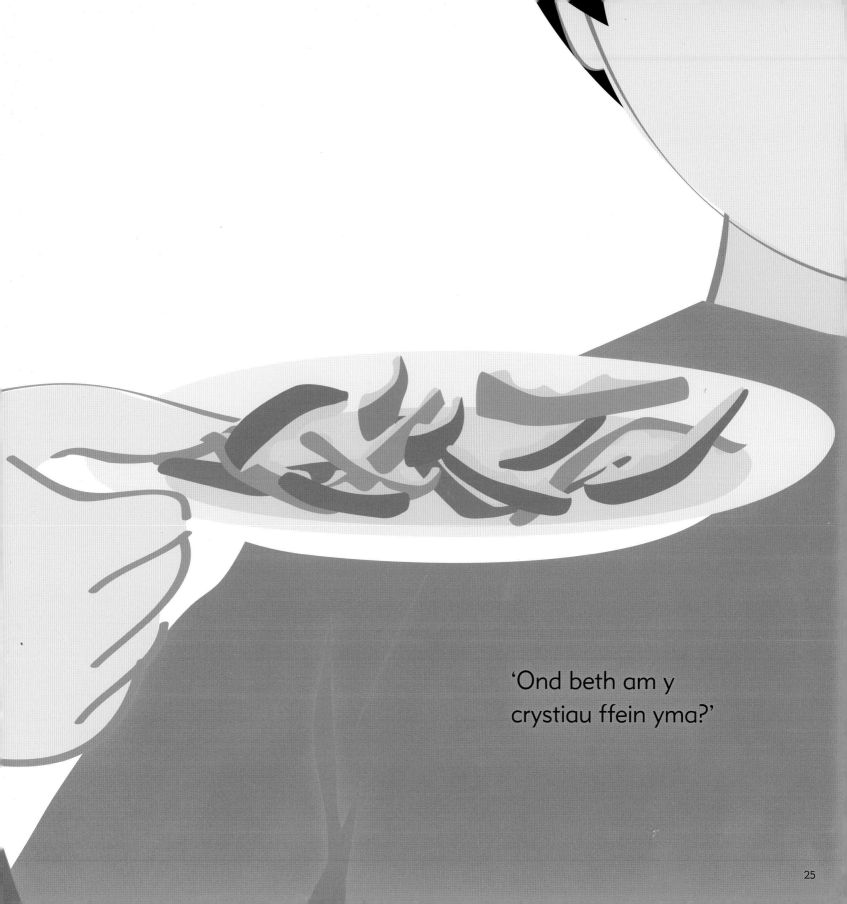

'Ond beth am y crystiau ffein yma?'

'Dw i ddim yn hoffi crystiau,'
meddai Popi.

'Ond dyna sut mae cael gwallt cyrliog! Mae'n gweithio bob tro.'

A wir i chi, fe wnaeth Popi fwyta pob crystyn . . . pob amser cinio . . .